JOHN CHATTERTON
DÉTECTIVE

© 1993, l'école des loisirs, Paris
Loi numéro 49 956 du 16 juillet 1949 sur les publications
destinées à la jeunesse : mars 1993
Dépôt légal : septembre 2005
Imprimé en France par Mame Imprimeurs à Tours

Yvan Pommaux

JOHN CHATTERTON
DÉTECTIVE

lutin poche de l'école des loisirs
11, rue de Sèvres, Paris 6ᵉ

Une disparition… Une fille en rouge… Une grand-mère… Ça rappelle cette sombre histoire où la fille et la grand-mère sont mangées par un loup…

À moins…

…À moins, si mes souvenirs sont bons, qu'un chasseur ne les sauve.

13

Fausse piste!...
Il faut chercher
ailleurs.

Admettons que la jeune fille
en rouge, ignorant que sa
grand-mère est absente,
ait voulu lui rendre visite:
elle a dû, pour cela, traver
le square…
Allons voir! Peut-être
trouverai-je un indice!

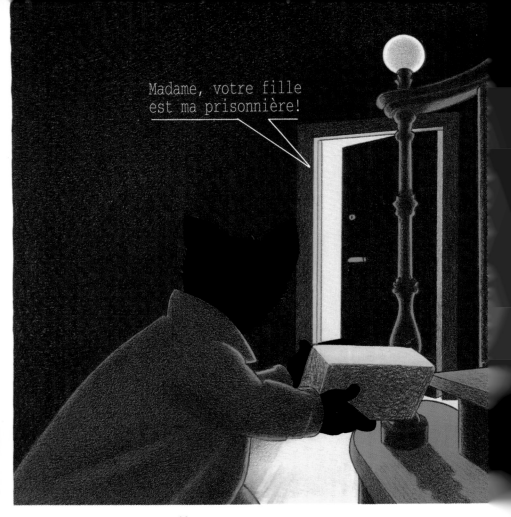

Apportez-moi IMMÉDIATEMENT ce tableau. J'habite au 7, rue du Squar

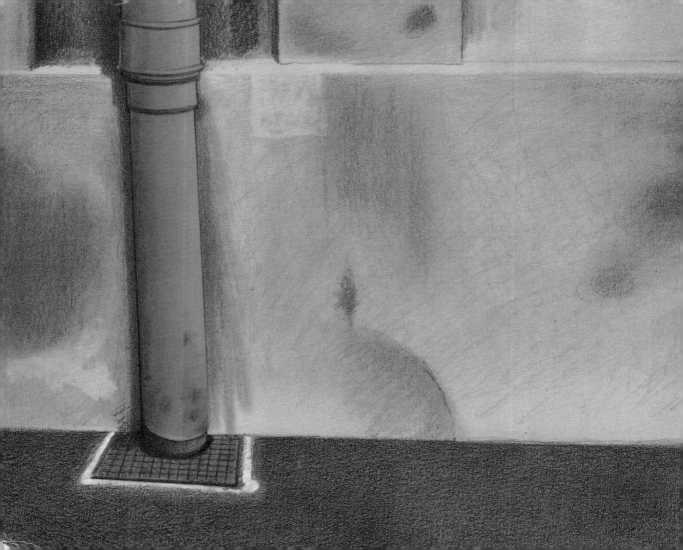